Más allá del espejo

Henri Nouwen

Más allá del espejo

Reflexiones sobre la muerte y la vida

Editorial Claretiana

Título original:
Beyond the Mirror. Reflexions on death and life,
publicado por: The Crossroad Publishing Company

Traducción e ilustraciones:
Néstor Dante Saporiti.
Diseño de Tapa:
Grupo Uno.

Con las debidas licencias.

Impreso en la Argentina.
Printed in Argentina.
I.S.B.N. 950-512-399-X

EDITORIAL CLARETIANA
Lima 1360 - C1138ACD Buenos Aires
República Argentina
Tels. 4305-9510/9597 Fax: 4305-6552
email: editorial@editorialclaretiana.com.ar
www.editorialclaretiana.com.ar

Prólogo

Este pequeño libro narra la experiencia espiritual de un accidente que sufrí hace algún tiempo. Escribirlo fue para mí una necesidad imperiosa. Este accidente me condujo hasta el umbral de la muerte y me llevó a vivir una nueva experiencia de Dios. No escribirlo habría significado ser infiel a mi vocación de proclamar la presencia de Dios en todo momento y lugar. En mi búsqueda de Dios los libros y artículos que leí han sido importantes; pero han sido los eventos que interrumpieron mi vida cotidiana los que mejor me revelaron el misterio divino del que formo parte.

Un largo período de soledad vivido en un monasterio trapense, interrumpiendo una vida académica muy recargada; la muerte imprevista de mi madre, interrumpiendo los lazos más profundos con mi familia; una confrontación con los pobres en América Latina, interrumpiendo una vida bastante confortable en América del Norte; un llamado a vivir con discapacitados mentales, interrumpiendo una carrera universitaria; el corte con una profunda amistad, interrumpiendo un sentido creciente de seguridad emocional. Todos estos hechos me obligaron una y otra vez a preguntarme: "¿Dónde está Dios y quién es Dios para mí?"

Cada una de estas interrupciones se me presentó como una oportunidad para ir más allá de los parámetros normales de la vida diaria y encontrar un sentido de la vida más profundo que el que había encontrado en períodos precedentes de estabilidad física y emocional. Cada interrupción se convirtió en una invitación a mirar de una manera nueva mi identidad ante Dios.

Cada interrupción me quitó algo, pero también me dejó algo nuevo. Más allá del éxito en el campo de la enseñanza, estaba la paz profunda de la soledad y la vida comunitaria; más allá del lazo con mi madre estaba la presencia materna de Dios; más allá del confort de América del Norte estaban las sonrisas de los niños en Bolivia y Perú; más allá de la carrera universitaria estaba la vocación de tocar a Dios en aquellas mentes y cuerpos heridos; más allá de una amistad muy estrecha estaba la comunión con un Dios que me pedía que le diera todo mi corazón y no sólo una parte. En breve, más allá de algunos "arreglos sociales" que hacen que la vida sea agradable, están todas esas posibilidades de relacionarnos con el Dios de Abrahán y Sara, Isaac y Rebeca, Jacob, Lía y Raquel, el Padre de Jesús, cuyo nombre es Amor.

Todas estas interrupciones invitándome a ir "más allá" me impulsaron a escribir. Ante todo porque, simplemente, escribir me parece que es, para mí, el único camino para no dispersarme en medio de las difíciles y a veces desgastantes interrupciones, lo que me permite seguir siendo yo mismo mientras me desplazo de los ámbitos conocidos a los desconocidos. Escribir me ha ayudado a permanecer fiel a mis puntos de referencia en medio del desorden, así como a discernir la sutil voz del Espíritu de Dios en medio de una disonancia de voces que intentaban distraerme.

Pero también he tenido una segunda motivación. De alguna manera he creído que escribir era un modo de hacer emerger valores importantes de los sufrimientos y temores de mi pequeña y acelerada vida. Cada vez que la vida me pidió que diera un paso más hacia un territorio espiritual desconocido, sentí un profundo e imperioso llamado a contar mi historia a los demás, tal vez como una necesidad de ser comprendido; pero tal vez, también, porque soy consciente de que mi vocación más profunda es la de dar testimonio de esas presencias de Dios que he podido percibir.

Cuando fui embestido por una camioneta mientras caminaba por la ruta buscando quién me llevara e, inmediatamente después, me encontré cara a cara con la posibilidad de morir, comprendí, mejor que nunca, que lo que estaba viviendo lo debía vivir para los demás. Desde que recuperé la salud y pude contar esta historia, siento que esta interrupción –que habría podido ser la última– me dejó un nuevo conocimiento de Dios radicalmente diferente del que tenía desde hacía mucho tiempo. Por lo tanto, con mayor razón aun, sentí la necesidad de narrarlo y presentar simplemente este conocimiento que no logro guardar para mí mismo.

Espero –y se lo pido a Dios– que esta mirada más allá del espejo lleve consuelo y esperanza a mis hermanos y hermanas que se angustian porque sienten la cercanía de su muerte, o a los que, pensando en ella, temen y tiemblan, sin encontrar la paz.

1 El accidente

Dos recuerdos muy intensos perduran en mí de aquel momento en que, en esa mañana oscura de invierno, el espejo retrovisor de una camioneta me golpeó en la espalda y me tiró a la banquina. Inmediatamente tuve conciencia de que había alcanzado un punto sin retorno. No tenía idea de la gravedad de mi estado de salud, pero sí supe que algo antiguo había llegado a su fin y que, al mismo tiempo, algo nuevo –todavía desconocido– estaba naciendo.

Mientras estaba tirado a un costado del camino, pidiendo ayuda, me di cuenta al instante que ese golpe no era simplemente un accidente. Más tarde llegué a descubrir con claridad cuán predecible, providencial y misteriosamente planeado había sido todo eso. Mi primera preocupación fue la de recibir ayuda; pero al mismo tiempo tuve la certeza de que algo extrañamente "bueno" estaba sucediendo mientras yo permanecía tirado en la banquina.

Venía de vivir una semana muy intensa, llena de pequeñas ocupaciones que, aunque ninguna terriblemente importante, habían ocupado totalmente mis jornadas dejándome muy cansado y, a veces, hasta irritado. En ese contexto nada parecía ofrecerme el espacio para tomar contacto directo con la parte más profunda de mi persona. Sin embargo, en medio de todas esas ocupaciones, una de ellas sería la excepción: me habían pedido que asistiera a Hsi-Fu, un niño chino de catorce años, profundamente discapacitado. Nathan y Todd, quienes normalmente lo ayudaban, se habían ido a un retiro, y yo estaba orgulloso de poder ocupar su lugar. De hecho, sentí que era un privilegio tener la oportunidad de ayudar a Hsi-Fu.

Él es ciego, no puede hablar ni caminar, y tiene serias deformaciones en su cuerpo; pero está tan lleno de vida y amor que estar con él me ayuda a tomar contacto con esas cosas que hacen que la vida sea tan enriquecedora. Bañarlo, cepillarle los dientes, peinarlo, acompañar su mano cuando trata de poner un poco de comida en la cuchara para llevarla a su boca, daba lugar a una intimidad serena, a una quietud llena de afecto, a un momento de verdadera paz, tanta cuanta podemos encontrar después de una hora de meditación. Ya lo había hecho en las mañanas del lunes, martes y miércoles, siguiendo su rutina cotidiana, y esperaba poder hacerlo otra vez al día siguiente.

Hsi-Fu vive en la famosa "Corner House", en el centro de Richmond Hill, a cinco minutos en auto de la casa donde vivo. Ese jueves a la mañana me desperté temprano, y cuando miré por la ventana, vi que el suelo se había convertido en una capa de hielo brillante. Obviamente, era imposible recorrer en auto el kilómetro y medio que había desde casa hasta la calle Yonge. La ruta estaba en unas condiciones tales, que más bien parecía una pista de patinaje; ir en coche habría significado caer inevitablemente en una cuneta.

Mi amiga Sue –uno de los miembros de la comunidad– estaba por comenzar sus oraciones cuando yo me encontraba a punto de salir. Al verme, me dijo: "No vayas en auto. Es imposible." Le respondí: "No, no, voy a ir caminando. Son apenas las seis, así que para las siete puedo llegar sin problemas." Sue replicó: "Henri, no vayas. Es demasiado. Llama a Corner House; ellos se las van a arreglar para asistir a Hsi-Fu." En ese preciso instante sentí una resistencia profunda para ir a hacer lo que tanto deseaba. De nuevo, Sue dijo: "No vayas." Pero yo insistí: "Puedo hacerlo. Además se lo he prometido." Por lo tanto, salí de casa y comencé a caminar torpemente por la ruta helada hacia la calle Yonge.

Me era muy difícil caminar y, a un cierto punto, me resbalé y caí planchado sobre mi estómago. Pero me dije a mí mismo: "Vamos, tú puedes hacerlo. No dejes que un poco de hielo se interponga en tu camino." Obviamente ya no era solamente el servicio lo que me motivaba, sino el deseo de demostrarme a mí mismo que podía cumplir con mi pequeña tarea, además del deseo más fuerte aun de no dejar que nadie hiciera por Hsi-Fu lo que yo deseaba hacer, con el peligro de perder su afecto.

RICHMOND
HILL

Cuando llegué a la calle Yonge, vi que ya habían pasado quince minutos. Crucé la ruta y empecé a caminar hacia el sur hasta Richmond Hill. A medida que avanzaba, empecé a angustiarme. Los autos pasaban a mi lado a gran velocidad, y aunque la calle parecía no tener hielo, las banquinas eran muy peligrosas. De hecho, me resbalé otra vez y casi me caigo. Cuando llegué a la estación de servicio me di cuenta que ya eran casi las seis y media y que no podría estar en Corner House a las siete.

En ese preciso instante, una pequeña camioneta con dos hombres entró en la estación. Decidí pedirles ayuda. Golpeé en la ventanilla del vehículo y cuando uno de sus ocupantes bajó el vidrio, le dije: "Buenos días. ¿Podrían acercarme hasta la zona sur? Necesito estar ahí a las siete, pero con todo el hielo que hay en la banquina, a pie nunca lo lograré. En cambio en auto son tres minutos." El que iba al volante me miró y dijo: "No podemos ayudarlo porque acabamos de llegar y tenemos que abrir la estación de servicio. No tenemos tiempo." Lo intenté de nuevo: "Escuchen, son sólo unos minutos, y, además, tengo miedo de resbalarme con tanto hielo en las banquinas. Por favor, ¿pueden ayudarme? No los ocuparé demasiado tiempo." Pero la respuesta fue la misma: "Lo lamento, pero no tenemos tiempo."

Empecé a enojarme y sentí un extraño deseo de forzarlos a ayudarme. Por lo tanto les dije: "Pero es que realmente tengo que estar ahí –señalé con la mano– donde se ve la torre de la iglesia, y no lo lograré si ustedes no me ayudan. Aquí no hay nadie que los necesite en este momento." El que manejaba puso la marcha atrás para estacionar la camioneta diciendo: "Lo lamento, no tenemos tiempo. Tenemos que abrir la estación de servicio." Mientras tanto, el otro hombre cerraba la ventanilla y me dejaba solo.

Entonces me enojé muchísimo con ellos. Esos dos extraños se habían convertido en mis enemigos. Me sentí indignado; la rabia me brotaba desde lo más profundo y más oscuro de mí mismo. No me habían comprendido, me habían rechazado y me dejaban solo. Me sentí como un niño abandonado y marginado. Volví a retomar la banquina, sabiendo que debía estar muy atento, pero no lo fui. Bajé hasta donde pasaban velozmente los autos con los faros encendidos, uno detrás de otro. Había tomado la decisión de llegar a tiempo. Así le demostraría a esos dos que podía hacer a menos de ellos; que, en realidad, no los necesitaba; y que otras personas habrían sido más compasivos que ellos, y que, después de todo, yo tenía razón y ellos estaban equivocados.

Cuando estuve sobre el asfalto, me paré en dirección hacia donde venían los autos y comencé a hacer dedo hacia Richmond Hill. Los coches surgían de entre la niebla matinal y pasaban a mi lado. Me puse a pensar en todos esos hombres y mujeres que iban a sus trabajos, manejando cómodamente en sus coches vacíos y, malhumorado, empecé a preguntarme por qué parecían no verme o por qué parecían no tener ninguna intención de detenerse y llevarme hasta donde yo necesitaba ir. Los dos enemigos de la estación de servicio se multiplicaron por miles.

Una extraña ambigüidad se apoderó de mí. Mi mente comprendía claramente que en esas condiciones era totalmente imposible que algún conductor me viera y se diera cuenta de que necesitaba ayuda, se detuviera y me llevara. Estoy seguro de que yo no sería capaz de hacerlo si estuviera manejando en dirección a mi trabajo a las seis y media de la mañana de un día helado. A pesar de esto, al mismo tiempo sentía rabia, un sentimiento de rechazo creciente, un grito interior que decía: "¿Por qué todos ustedes pasan a mi lado, me ignoran y me dejan solo, parado a un costado de la ruta?" La comprensión sobre la absurdidad de mis expectativas se entrecruzaba con mi extraña rabia.

Finalmente me di cuenta que el único camino para llegar a Corner House era caminar. Mientras tanto, el tiempo que necesitaba ya no me permitía llegar a tiempo para atender a Hsi-Fu a las siete. Por lo tanto, enojado, confundido, nervioso, y sintiéndome tan, pero tan ridículo, empecé a correr por la calle Yonge. Escuché la voz de Sue diciéndome: "Henri, es demasiado..."

Entonces sucedió el accidente: algo me golpeó, un extraño sonido oscuro recorrió mi cuerpo, un dolor agudo en mi espalda, tropecé y caí sobre el asfalto, intenté gritar. Me descubrí a mí mismo pensando: "El conductor que me golpeó, ¿se habrá dado cuenta de lo que pasó o estará conduciendo como si nada hubiera pasado?" Pero me surgió otro pensamiento más profundo

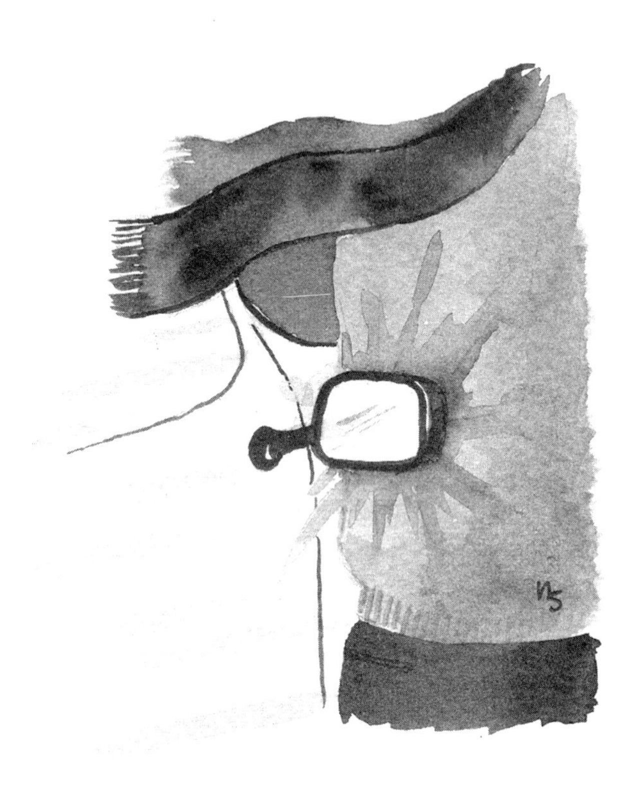

y fuerte: "Todo ha cambiado. Todos mis planes se han vuelto inútiles. Es horrible, doloroso... pero tal vez sea algo bueno." Las palabras de Sue resonaban en mi mente: "Es demasiado lejos." En ese lugar no había nadie. Sólo yo... tirado y sin ayuda a un costado del camino. Ese sentimiento de impotencia, de estar tan lejos de poder controlar la situación no me dio miedo. Sentí como si una especie de mano fuerte me había frenado y me obligaba a un irrenunciable abandono.

Mientras me encontraba en el suelo, intenté llamar la atención de los dos empleados de la estación de servicio. Pero estaban demasiado lejos, tanto para verme como para escucharme. Entonces, para mi sorpresa, un hombre joven llegó corriendo, se inclinó sobre mí y me dijo: "Déjeme ayudarlo, está lastimado." Su voz era muy gentil y amistosa. Parecía un ángel protector. "Un auto que pasaba me debe haber golpeado," dije. "Ni siquiera sé si el conductor se dio cuenta." "Fui yo," me respondió. "Lo golpeé con mi espejo retrovisor derecho y me detuve para ayudarlo... ¿Puede levantarse?" "Sí, supongo que sí," le dije, y con su ayuda me puse de pie. "Con cuidado," me previno, "con mucho cuidado." Juntos caminamos hasta la estación de servicio. "Me llamo Henri," le dije. "Yo soy Jon," me respondió. "Permítame que llame una ambulancia."

Entramos en la estación de servicio, Jon me sentó en una silla y tomó el teléfono. Los dos empleados miraban desde una cierta distancia, pero no dijeron nada. Después de un minuto, Jon se impacientó. "No puedo comunicarme con el servicio de ambulancias. Será mejor que lo lleve yo mismo al Hospital Central." Cuando salió para ir a buscar su coche, la llamé a Sue y le conté lo que había sucedido. Un minuto después estábamos en camino. Mirando a través de la ventanilla, vi el espejo retrovisor y me di cuenta de lo fuerte que había sido golpeado. Obviamente, Jon estaba asustado. Me preguntó: "¿Por qué estaba parado al borde de la ruta?" No quería darle demasiadas explicaciones, pero dije: "Soy un sacerdote y vivo en una comunidad de discapacitados mentales. Estaba yendo a trabajar en una de nuestras casas." Con una notable consternación en su voz, dijo: "Dios mío, atropellé a un sacerdote." Jon me caía bien y traté de consolarlo diciéndole: "Te estoy muy agradecido de que me lleves al hospital; cuando me reponga, debes venir a visitar nuestra comunidad." "Sí, me gustaría," respondió, pero sus pensamientos estaban en otra parte.

2
El hospital

Apenas llegamos a la sala de emergencias del hospital, fuimos rodeados por enfermeras, doctores, una mujer policía, preguntas y respuestas, formularios y radiografías. Todos fueron muy atentos, eficientes, competentes y sinceros. El doctor que observó las placas dijo: "Tiene cinco costillas rotas. Lo tendremos en observación durante un día y luego podrá irse a su casa." Entonces, inesperadamente, una cara muy familiar apareció. Era mi amiga, la Doctora Prasad. Estaba sorprendido de la rapidez con la que había llegado. Al verla sentí profundamente que estaba en buenas manos.

Pero en ese mismo instante empecé a sentirme terriblemente mal. La cabeza me daba vueltas y quería vomitar pero no podía. Me di cuenta que alrededor mío empezaron a preocuparse y que en unos pocos minutos era claro que mi estado había empeorado mucho más de lo pensado. "Seguramente se trata de alguna hemorragia interna," dijo la doctora Prasad. "Vamos a controlarlo de cerca."

Después de unos exámenes, tubos y desplazamientos, me llevaron a terapia intensiva. Jon se había ido. Sue, que no podía salir de casa por culpa del hielo, había llamado a Robin, uno de los miembros de nuestra comunidad, para que fuera a verme. Apenas llegó trató de informarse sobre mi estado de salud. En ese momento me di cuenta que debía aceptar la verdad. Estaba muy grave, en peligro de muerte. Frente a la posibilidad de morir, pensé que el espejo retrovisor del auto que me atropelló me obligaba a ver mi vida de una manera diferente.

Nunca había estado en una cama de hospital, salvo por pequeñas e insignificantes enfermedades. Pero en ese momento, de repente, me convertí en un verdadero paciente, totalmente dependiente de las personas que me rodeaban. No podía hacer nada sin la ayuda de los demás. Los tubos que entraban en mi cuerpo en diferentes lugares por inyecciones intravenosas, transfusiones de sangre y monitoreos cardíacos eran la evidencia de que me encontraba en un estado de verdadera "pasividad". Conociendo mi predisposición a perder la paciencia y conciente de mi necesidad de ser controlado, supuse que esta nueva situación sería extremadamente frustrante.

Sin embargo, ocurrió lo contrario. Me sentía seguro en mi cama de hospital con sus barras a ambos lados. No obstante el gran dolor, tenía un inesperado sentimiento de seguridad. Los doctores y las enfermeras me explicaban cada movimiento que hacían; me decían el nombre de cada remedio que me inyectaban; me advertían del dolor que iba a sentir, y expresaban su confianza, así como sus dudas sobre los efectos de sus intervenciones. Durante la ecografía, la enfermera me hizo ver cómo mi bazo aparecía en la pantalla y dónde estaba golpeado y sangrante. La enfermera que me dio un calmante para disminuir el dolor y pudiera dormir dijo: "Actuará durante dos horas; luego volverá a sentir un poco de dolor; pero tendrá que esperar una hora antes de que pueda darle otro." Esta franqueza, apertura, amistad y honestidad redujeron mi ansiedad y reforzaron mi capacidad para hacer frente a la situación. Sí, sabía que corría el riesgo de perder la vida, pero estaba en el mejor lugar posible.

La combinación entre compasión y preparación me liberó de todos mis temores. Sobre todo, el simple hecho de ser tratado con tanta dignidad y respeto por personas que nunca había visto antes y que tampoco me conocían a mí, me hizo sentir muy seguro. Dependía totalmente de ellos, pero cada uno de ellos me trataba como un adulto inteligente al cual no era necesario ocultarle ningún secreto. Me dieron la posibilidad de saber todo lo que quería y, en ese sentido, me sentí dueño de mi propio cuerpo. Nunca sentí que los juicios o las decisiones sobre mí fueran tomadas sin consultarme. Sí, esto me proporcionó un profundo sentido de pertenencia, aunque no estuviera en mi propia casa. No tengo conciencia de haber sido tratado ni exageradamente bien, ni con extrema frialdad. Tal vez fue esto lo que me hizo sentir profundamente seguro.

Sue vino a verme apenas pudo y durante los días siguientes se convirtió en mi principal contacto con el mundo exterior. Ella me conectaba con la comunidad de Daybreak, me contaba las cosas que tenían que ver con mis amigos, me aseguraba que estaban rezando por mí, y me tenía informado sobre tantos pequeños eventos cotidianos de la casa. Sus visitas frecuentes fueron de gran consuelo. Hablábamos poco, rezábamos mucho, y permanecíamos en silencio durante largos períodos de tiempo.

He tenido que contarles todo esto para poder explicar por qué la muerte no me atemorizaba. Yo sabía que mi bazo todavía sangraba y que estaba aun en una situación crítica, pero ni el pánico, ni la angustia, ni el miedo me abrumaron. Estaba sorprendido de mi reacción. En muchos momentos de mi vida pasada, había experimentado una gran angustia y desorden interior. Había convivido con sentimientos destructores de rechazo y abandono, y había conocido el miedo y el pánico paralizadores, generalmente provocados por pequeños problemas. Tuve miedo de personas y fuerzas desconocidas. Me consideraba alguien muy tenso, nervioso y ansioso. Pero ahora, de cara a la muerte, sólo experimentaba paz, alegría y me sentía completamente seguro.

3
La operación

El viernes por la mañana, después de diversos exámenes, el doctor Barnes, el cirujano, dijo: "Su bazo todavía está sangrando. Tenemos que extirparlo." "¿Cuándo?" le pregunté, y me dijo: "Apenas esté libre el quirófano." Poco después vino a verme la doctora Prasad. Volví a sentir la presencia amenazadora de la muerte.

Entonces le dije: "Si estoy muriéndome, por favor dígamelo. De veras quiero prepararme. No le tengo miedo a la muerte, pero sí a abandonar la vida sin saberlo." Ella me respondió: "Hasta donde yo sé, no hay un peligro real de que vaya a morir. Pero tenemos que detener la hemorragia, para lo cual debemos quitarle el bazo. Estará repuesto en unos pocos meses, y podrá vivir bien sin él."

La doctora Prasad fue muy honesta y directa. Me dijo todo lo que sabía. De todos modos, seguí sintiendo que podía morirme y que debía prepararme y preparar también a mis amigos. En algún lugar, muy adentro mío, yo sentía que mi vida estaba realmente en peligro. Por lo tanto empecé a predisponerme para entrar en ese lugar en el que nunca había estado antes: el portal de la muerte. Quería conocer ese lugar, "caminar por él", y estar listo para la vida que empieza al terminar esta vida. Era la primera vez que caminaba concientemente por este lugar aparentemente terrible; era la primera vez que esperaba saber lo que significaría una nueva forma de existencia. Traté de no pensar en mi mundo familiar, en mi historia, mis amigos, mis planes. Traté de no mirar hacia atrás, sino hacia delante. Me quedé observando esa puerta que se abriría ante mí y me mostraría algo que nunca antes había visto.

Entonces experimenté algo que nunca había vivido hasta ese momento: un amor puro e incondicional. Más aun, lo que sentí fue una presencia intensamente personal, una presencia que dejaba todos mis miedos a un lado y me decía: "Ven, no tengas miedo. Te amo." Era una presencia verdaderamente amable, que no me juzgaba; una presencia que sólo me pedía que confiara, que confiara plenamente. Dudo en decir que era Jesús, porque me temo que el nombre de Jesús tal vez no evoque todo el contenido de la presencia divina que expe-

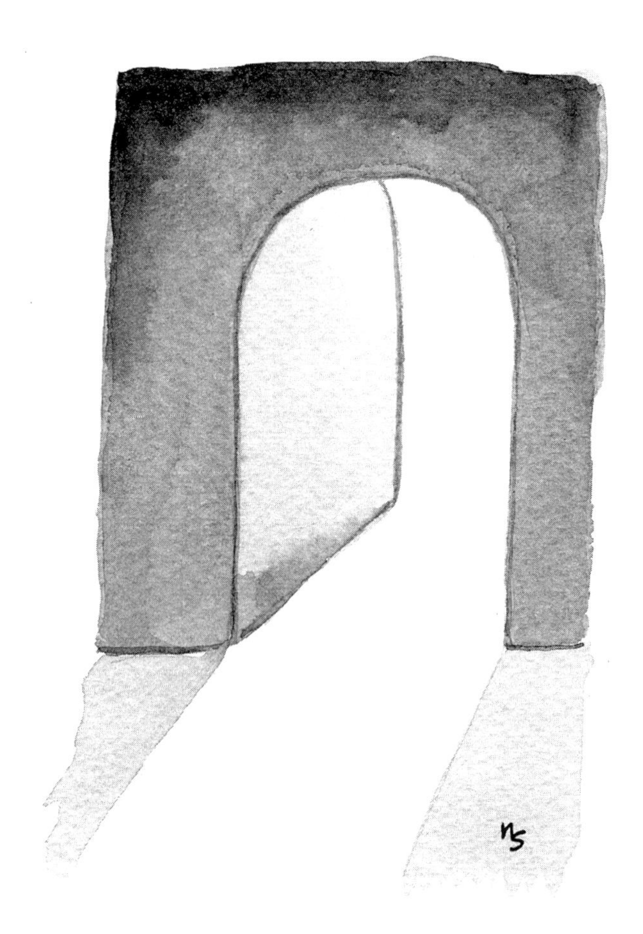

rimenté. No era una luz cálida, ni un arcoiris, o una puerta abierta lo que *vi*, sino una presencia humana y también divina lo que *sentí*, invitándome a estar más cerca y a dejar de lado todos mis temores.

Toda mi vida había sido un arduo intento por seguir a Jesús tal como lo conocí a través de mis padres, mis amigos, mis maestros. He pasado tantas horas estudiando la Biblia, escuchando reflexiones y sermones, leyendo libros de espiritualidad. Jesús se había convertido en alguien muy cercano, pero también muy distante; un amigo, pero también un extraño; fuente de esperanza, pero también de temor, culpa y vergüenza. Pero ahora, mientras caminaba hacia el portal de la muerte, toda ambigüidad y toda incertidumbre habían desaparecido. Él estaba allí, el Señor de mi vida, diciéndome: "Ven a mí, ven."

Tuve la certeza de que él estaba allí para mí, pero que también estaba conmigo, abrazando todo el universo. Supe que, en efecto, él era el Jesús al que le había rezado y del que había hablado, pero que ahora no me pedía ni oraciones ni palabras. Todo estaba bien. Los términos con los que podría sintetizar el contenido de dicha experiencia son: Vida y Amor. Pero esas palabras estaban encarnadas en una presencia real. La muerte perdió su poder y desapareció en la Vida y el Amor que me rodeaban tan profundamente, como si estuviera caminando por un mar en calma. Me sentía como suspendido mientras caminaba hacia la otra orilla. Todos los celos, los resentimientos y la rabia habían desaparecido, y me daba cuenta de que el Amor y la Vida eran más grandes, más profundos y más fuertes que todas las cosas que había temido.

Tuve una sensación muy fuerte: la de estar volviendo a casa. Jesús me abría las puertas de su casa y parecía decirme: "Aquí es donde perteneces." Las palabras que dijo a sus discípulos: "En la Casa de mi Padre hay muchas habitaciones... Yo voy a prepararles un lugar" (Jn 14,2), se hacían realidad. Jesús resucitado, que ahora habita con su Padre, me daba la bienvenida a casa después de un largo viaje.

Esta experiencia fue la realización de mis más antiguos y profundos deseos. Desde que soy conciente he tenido el deseo de estar con Jesús. En ese momento sentía su presencia de un modo más tangible, como si toda mi vida se hubiera hecho presente en este instante y me envolviera el amor. La llegada a casa tenía el sentido de un regreso, un regreso al seno de Dios. Ese Dios que me había formado en lo secreto y me había moldeado en las profundidades de la tierra, ese Dios que me había creado en el vientre de mi madre, me llamaba de nuevo después de un largo viaje y quería recibirme como alguien que ha vuelto a ser como un niño para poder ser amado como un niño. Aquí hablo sólo de lo que yo experimenté.

Sin embargo, sentía resistencias ante el llamado a regresar a casa. Le hablé de ellas a Sue en una de sus visitas. Lo que más me prevenía contra la muerte era el sentido del trabajo inconcluso, de los conflictos sin resolver con las personas con las que vivía o había vivido. El dolor por el perdón no concedido por mí o a mí, me llevaban a aferrarme a mi existencia herida.

Con los ojos de la mente vi a los hombres y mujeres que sentían hacia mí rabia, celos e inclusive odio. Ellos ejercían un extraño poder sobre mí. Tal vez ya no pensaban en mí, pero yo pensaba en ellos en todo momento, al punto de perder la paz interior y la alegría. Sus críticas, su rechazo, o las expresiones de una postura diferente a la mía, todavía afectaban los sentimientos que sentía hacia mí mismo. Al no perdonarlos de verdad, de corazón, les concedí un poder sobre mí que me encadenaba a mi antigua y quebrada existencia. También sabía que todavía había personas enojadas conmigo, que no podían pensar en mí o hablar de mí sin experimentar una gran hostilidad. Es posible que no recordara lo que les había hecho o dicho. Tal vez tampoco supiera quiénes eran. Pero ellos no me habían perdonado y me recordaban con rabia.

Frente a la muerte me di cuenta que no era el amor lo que me aferraba a la vida, sino los conflictos sin resolver. El amor, el amor real que había brindado a los demás y que había recibido de ellos, me permitía sentirme libre frente a la muerte. Ella no podía destruir ese amor. Al contrario, lo hacía más profundo y fuerte. Aquellos a los que más quise y que más me han querido lamentarían mi muerte, pero su afecto hacia mí habría crecido y se habría fortalecido. Ellos me recordarían, me harían parte de sus vidas y llevarían en ellos mi espíritu a lo largo de sus días.

Pero el verdadero drama no estaba en dejar a los seres queridos. El verdadero problema tenía que ver con dejar a personas que no había perdonado y otras que no me habían perdonado a mí. Estos sentimientos me retenían atado al viejo cuerpo y me sumían en una gran tristeza. Inmediatamente sentí un inmenso deseo de llamar alrededor de mi cama a todos los que estaban enojados conmigo y a aquellos con los que estaba disgustado; les habría pedido que me perdonaran y les habría ofrecido el perdón. Mientras pensaba en ellos me di cuenta que representaban a un montón de opiniones, juicios, e inclusive condenas que me habían esclavizado a este mundo. También me pareció que mucha de mi energía se había ido en el demostrarme a mí mismo y a los demás que tenía razón, que no se podía confiar en ciertas personas, que otros me usaban o trataban de sacarme de mi postura, y que grupos y categorías enteras de personas estaban equivocadas. De esta manera fui alimentando la falsa idea de que había sido elegido para evaluar y juzgar la conducta de los demás.

Como me sentía cada vez más débil, también sentí la necesidad de perdonar y ser perdonado, de dejar de lado todas las evaluaciones y opiniones, de liberarme del peso de juzgar y ser juzgado. Le dije a Sue: "Por favor, dile a todos a los que yo he herido, que me perdonen, y a todos los que me han herido que los perdono de corazón."

A penas dije esto, sentí que me estaba sacando los anchos cinturones de cuero que había usado cuando era capellán militar. Esos cinturones no sólo rodeaban mi cintura, sino también mi pecho y mis espaldas. El llevarlos me había dado prestigio y poder y me había empujado a juzgar a los demás y ponerlos en su lugar. A pesar de que mi estadía en la armada fue muy breve, en mi mente todavía seguía usando esos cinturones. Pero ahora sabía que no quería morirme con ellos sujetándome como un esclavo. Necesitaba morir despojado de todo poder, sin cinturones, completamente libre de todo juicio.

Lo que más me asustó durante esas horas fue que mi muerte pudiera hacer sentir a alguien culpable, apenado, o abandonado espiritualmente. Temía que alguien dijera o pensara: "Me habría gustado tener la posibilidad de resolver nuestro problema, de decir lo que realmente sentía, manifestar mis verdaderas intenciones... me habría gustado, pero ahora es demasiado tarde." Sé lo difícil que es vivir con estas palabras sin pronunciar y estos gestos sin manifestar. Ellos hacen más profunda nuestra oscuridad y se convierten en una carga culposa.

Sabía que mi muerte podía ser buena o mala para los demás, según la posición que habría tomado frente a ellos. Le dije nuevamente a Sue: "Si me muero, dile a todos que siento un inmenso amor por todas las personas que he conocido, inclusive por aquellos con los que he vivido algún conflicto. Diles que no se sientan mal o en culpa, sino que me permitan ir a la casa de mi Padre y confíen en que allí la comunión con ellos crecerá y se fortalecerá. Diles que celebren conmigo y den gracias a Dios por todas las cosas que él me ha concedido."

Esto era todo lo que podía decir. Sue escuchó mis palabras con un corazón abierto, y yo sabía que las transmitiría a sus destinatarios. Me miró con amabilidad y me hizo comprender que todo estaba bien. A partir de ese momento me puse en las manos de Jesús y me sentí como un pollito, a salvo bajo las alas de su madre. Ese sentimiento de seguridad tenía algo que ver con la conciencia de que mi angustia había llegado a su fin: angustia por no haber sido capaz de recibir el amor que había deseado, y por no ser capaz de dar el amor que habría querido brindar; angustia causada por sentimientos de rechazo y abandono.

La sangre que estaba perdiendo se convirtió en una metáfora de la angustia que me había infectado durante tantos años. Ella también debía salir de mí para que pudiera conocer el amor que había anhelado con todo mi corazón. Jesús estaba allí para ofrecerme el amor de su Padre, un amor que deseaba por sobre todas las cosas, un amor que me habría permitido entregarlo todo. El mismo Jesús había soportado la angustia. Él conoció el dolor de no poder dar o recibir lo que él consideraba como más valioso. Pero vivió a través de esa angustia con la confianza de que su Padre, que lo había enviado, nunca lo dejaría solo. Y ahora Jesús estaba allí, de pie más allá de toda angustia e invitándome a entrar en "otra tierra".

María, la Madre de Jesús, también estaba allí, pero su presencia era mucho menos inmediata. Me parecía como que ella quería permanecer en la retaguardia. Estaba tan ensimismado por la presencia tangible de Jesús que apenas pensaba en María. Pero si miro hacia atrás, sé que ella estaba allí presenciando amablemente el encuentro de mi corazón con el corazón de su Hijo.

Cuántas veces he rezado: "Santa María, Madre de Dios, ruega por nosotros pecadores, ahora y en la hora de nuestra muerte." Tomé conciencia que "ahora" y "la hora de mi muerte" eran una sola cosa y que ella estaba allí, aunque yo no le prestara demasiada atención. El dolor era tal que no podía rezar con palabras, ni pensar demasiado. Pero cada vez que la enfermera me ponía el rosario de madera en las manos, me sentía reconfortado. Tocar sus cuentas era todo lo que podía hacer, pero parecía ser lo suficiente para poder rezar. Sin palabras, sin pensamientos, simplemente tocando.

Cuando las enfermeras me llevaron al quirófano y me colocaron sobre la camilla para la operación, experimenté una profunda paz interior. Al mirar sus rostros cubiertos por los barbijos, reconocí a la Doctora Prasad. No pensé que estaría presente, pero me agradó que así lo fuera. Eso me hizo sentir más cuidado y protegido. Mientras tanto, le pregunté a la enfermera cómo iban a anestesiarme. La enfermera me dijo que me daría una inyección. Así lo hizo. Eso fue lo último que recuerdo.

Sólo después de algunas semanas la Doctora Prasad me contó lo que había pasado durante la operación: "Cuando vi el bazo como una isla en medio de un mar de sangre, dudé de que sobreviviera a la operación. Había perdido casi dos tercios de su sangre, y empezamos a dudar si habríamos podido salvarle la vida. Pero el Doctor Barnes fue capaz de detener la hemorragia y extraerle el bazo. Él le salvó la vida."

Era claro que ni el cirujano ni la Doctora Prasad habían podido preveer a partir de los exámenes la gravedad de la hemorragia. Pero cuando me condujeron a la sala de terapia intensiva, los que habían presenciado la operación sintieron de que apenas había escapado de la muerte. Poco después me desperté de la anestesia, cuando una de las enfermeras me dijo: "Bueno, debe estarle muy agradecido." Pensé que hacía alusión al Doctor Barnes; pero cuando le pregunté, me dijo que se refería a Dios.

4 La rehabilitación

Durante los días que siguieron a la operación, descubrí lo que significaba no haber muerto y me enteré de que me iba a recuperar muy pronto. Cuando Sue y otros amigos que vinieron a visitarme manifestaron su gran alegría y gratitud porque estaba fuera de peligro y me estaba restableciendo sin dificultades, me di cuenta de que había vuelto a un mundo del cual había sido liberado. Me hacía feliz el estar vivo, pero en un nivel más profundo estaba confundido y me preguntaba por qué Jesús aun no me había llamado a entrar en su casa.

Sí, me hacía feliz volver a estar con mis amigos, pero no podía dejar de preguntarme por qué era mejor para mí el regresar a este "valle de lágrimas". Estaba profundamente agradecido de saber que podía vivir por mucho más tiempo con mi familia y mi comunidad; pero también sabía que vivir más tiempo en esta tierra significaba más lucha, más dolor, más angustia, y más soledad. Interiormente no me fue fácil recibir todas las expresiones de gratitud por mi curación. Me era imposible decir con palabras: "Habría sido mejor para ti que yo hubiera muerto y que por mi ausencia te hubieras acercado más a Dios"; aun así, mi espíritu estaba expresando algo parecido.

La pregunta más importante que me hacía era: "¿Por qué estoy vivo? ¿Por qué no me encontraron preparado para entrar en la casa de Dios? ¿Por qué se me pidió que regresara a un lugar en el que el amor es tan ambiguo, donde es tan difícil encontrar la paz, y la alegría es opacada por el dolor?" La pregunta volvía a mi mente de muchas maneras, y me di cuenta de que la respuesta la iría descubriendo poco a poco, que esa pregunta me habría acompañado siempre, a medida que iría viviendo los años que me quedaban por delante, seguramente sin poder encontrar la respuesta justa. Esa pregunta me llevó hasta el corazón de mi vocación: vivir con un ardiente deseo de estar con Dios y al mismo tiempo seguir proclamando su amor a mis hermanos.

El haberme enfrentado a la muerte me ayudó a comprender mejor esa tensión, propia de esta vocación. Obviamente, no es una tensión para ser resuelta sino para ser vivida con profundidad, de tal manera que produzca frutos. Lo que aprendí sobre la muerte es que estoy llamado a morir por los demás. La simple verdad es que el modo en el que muero afecta a los demás. Si muero con demasiado odio y amargura, dejo a mis familiares y amigos confundidos, con sentimientos de culpa, de vergüenza, de fragilidad. Cuando sentí que se acercaba mi muerte, inmediatamente me di cuenta cuánto ella podía influir sobre los corazones de aquellos que dejaba.

Si verdaderamente en el momento de morir podré decir que estoy agradecido por todo lo que he vivido, ansioso por perdonar y ser perdonado, lleno de esperanza de que los que me han amado seguirán viviendo con alegría y paz, confiando en que Jesús, que me llamó, guiará a todos aquellos que de alguna manera han tenido que ver con mi vida, si realmente podré sentir de esa manera, entonces creo que en la hora de mi muerte demostraré ser más libre espiritualmente de lo que he podido serlo durante todos los años de mi vida.

A un nivel muy profundo he tomado conciencia de que la muerte es el hecho más importante de mi vida. Esto implica la opción de culpabilizar a los demás o de dejarlos con gratitud. Esta opción es una opción entre una muerte que da vida y una muerte que mata. Sé que mucha gente vive con el sentimiento profundo de no haber hecho lo suficiente por aquellos que han muerto, y no saben cómo sanarse de ese profundo sentimiento de culpa. La muerte tiene la única oportunidad de liberar a aquellos que hemos dejado.

Durante mis "horas de muerte", mis sentimientos más fuertes se centraron en mi responsabilidad sobre aquellos que habrían llorado mi muerte. ¿Lo habrían hecho con alegría o con sentimientos de culpa, con gratitud o con remordimientos? ¿Se habrían sentido abandonados o dejados en libertad? Algunos me han herido profundamente y otros fueron profundamente heridos por mí. Mi vida interior ha sido condicionada por estos sentimientos. Tuve la tentación de hablar con aquellos hacia quienes sentía rabia o culpa. Pero también supe que podía elegir dejarlos ir y abandonarme totalmente en la nueva vida en Cristo.

Mi deseo profundo de estar unido a Dios a través de Jesús no surgió de un menosprecio por las relaciones humanas sino de un agudo conocimiento de que morir en Cristo puede ser, en efecto, el don más grande que puedo hacer a los demás. La vida, en definitiva, es una serie de pequeñas muertes en las que se nos pide que nos despojemos de las diferentes formas de posesividad y que pasemos progresivamente del necesitar a los demás a vivir por los demás.

Los diferentes pasos que debemos hacer cuando pasamos de la infancia a la adolescencia, de la adolescencia a la madurez, y de la madurez a la tercera edad, nos ofrecen siempre nuevas oportunidades para pensar en nosotros mismos o en los demás. Durante estos pasajes, preguntas como: ¿Busco el poder o el servicio? ¿Quiero hacerme notar o pasar desapercibido? ¿Me esfuerzo por tener una carrera exitosa o me preocupa ser fiel a mi vocación? nos ayudan a crecer y nos ponen de frente a opciones difíciles. En este sentido, podemos hablar de la vida como de un largo proceso de muerte a uno mismo, para poder vivir en la alegría de Dios y dar toda nuestra vida a los demás.

A medida que reflexiono sobre esto, a la luz de mi encuentro personal con la muerte, me doy cuenta de lo poco común que es esta forma de pensamiento, no sólo para las personas con las que vivo y trabajo, sino también para mí mismo. Sólo frente a la muerte pude ver claramente –y tal vez solamente en modo superficial– lo que es la vida. Intelectualmente, había comprendido el concepto de morir a mí mismo, pero de cara a la muerte me parece que pude aferrar su verdadero significado. Cuando vi cómo Jesús me llamaba a dejarlo todo y a confiar plenamente en que, obrando de esa manera, mi vida sería fecunda para los demás, inmediatamente pude ver lo que mi vocación más profunda siempre había sido.

Mi encuentro con la muerte me enseñó algo nuevo sobre el significado de la muerte física y sobre el sentido de la muerte cotidiana que la precede. Mi regreso a la vida y sus problemas significa, creo, que se me pide que proclame el amor de Dios de una forma nueva. Hasta ahora he estado pensando y hablando desde lo temporal hacia lo eterno, desde la realidad que pasa hacia las realidades últimas, desde la experiencia del amor humano hacia el amor de Dios.

Pero después de haber tocado "la otra orilla", es como si se me pidiera un testimonio diferente: ser un testigo que vuelve al mundo de las ambigüedades para hablar desde el lugar del amor incondicional. Este es un cambio radical que, aunque me resulte difícil y hasta imposible, me exige encontrar las palabras que puedan llegar al corazón de mis hermanos. Siento, al mismo tiempo, que esas palabras deben hacer emerger y despertar los anhelos más profundos del corazón de los hombres.

Escucho de nuevo las palabras de Jesús a su Padre: "Mis discípulos no son del mundo, como tampoco yo soy del mundo... Así como tú me enviaste al mundo, yo también los envío al mundo... Conságralos en la verdad; tu palabra es verdad" (Jn 17,16-18). Mi experiencia del amor de Dios durante las horas cercanas a la muerte me ayudó a tomar conciencia de que no pertenezco al mundo, a los poderes oscuros de nuestra sociedad. Esta conciencia se hizo mas profunda aun y me ayudó a alcanzar una aceptación más plena de mí mismo. Soy un hijo de Dios, un hermano de Jesús. Estoy rodeado de la intimidad del amor divino.

Cuando Jesús fue bautizado en el Jordán, escuchó una voz del cielo que decía: "Este es mi Hijo muy querido, en quien tengo puesta toda mi predilección" (Mt 3,17). Estas palabras revelaron la verdadera identidad de Jesús como el que es amado. Jesús realmente escuchó esa voz, y todos sus pensamientos, palabras y acciones surgieron de esa conciencia profunda de ser infinitamente amado por Dios. Jesús vivió su vida desde ese espacio interior del amor. Más allá de que los rechazos humanos, los celos, los resentimientos y el odio lo hirieran profundamente, Jesús permaneció siempre aferrado al amor del Padre. Hacia el final de su vida, le dijo a sus discípulos: "Se acerca la hora, y ya ha llegado, en que ustedes se dispersarán cada uno por su lado y me dejarán solo. Pero no, no estoy solo, porque el Padre está conmigo" (Jn 16,32).

Ahora sé que las palabras dirigidas a Jesús cuando era bautizado eran palabras dichas también a mí y a todos los que son hermanos y hermanas de Jesús. Mi tendencia a autodespreciarme hace que estas palabras resuenen duramente en mis oídos, y me invita a hacerlas descender hasta el centro de mi corazón. Pero una vez que las he aceptado plenamente, soy liberado de mi tendencia a demostrarme a mí mismo de que se puede vivir en el mundo sin pertenecer a él. Una vez que he aceptado la verdad de que soy un hijo amado de Dios, de que soy amado por él incondicionalmente, puedo ser enviado al mundo para hablar y obrar como lo hizo Jesús.

La gran tarea espiritual que tengo por delante es asumir que cuanto más le pertenezco a Dios, más libre viviré en el mundo; libre para hablar aun cuando mis palabras no son aceptadas; libre para actuar aun cuando mis acciones son criticadas, ridicu-

lizadas, o consideradas inútiles; libre también para recibir el amor de la gente y para estar agradecido por todos los signos de la presencia de Dios en el mundo. Estoy convencido de que verdaderamente seré capaz de amar el mundo cuando crea plenamente que soy amado más allá de mis límites.

Cuando me desperté de la operación y me di cuenta de que aun no estaba en la casa de Dios, sino que todavía estaba viviendo en la tierra, tuve la percepción inmediata de haber sido enviado a hacer que el amor universal del Padre sea conocido por todos los pueblos que tienen hambre y sed de amor, pero que con frecuencia lo buscan en un mundo en el que no pueden encontrarlo.

Entiendo ahora que "hacer conocer" no es principalmente una cuestión de palabras, argumentos, lenguaje y métodos. Aquí se pone en juego una forma de ser en la verdad que busca menos de persuadir como de demostrar. Es el camino del testimonio. Debo quedarme en la otra orilla aun cuando soy enviado de regreso. Debo vivir la eternidad y al mismo tiempo llevar adelante mi búsqueda humana. Debo pertenecer a Dios sin dejar por ello de darme a los demás.

Haber tocado la eternidad, sin embargo, significa para mí que es imposible hacer referencia a ella porque, en definitiva, aun no he estado allí. Jesús habló desde su intimidad, desde su indivisible comunión con el Padre en el mundo, y así puso en contacto el cielo con la tierra. Le dijo a Nicodemo: "Hablamos de lo que sabemos y damos testimonio de lo que hemos visto" (Jn 3,11). ¿Puedo ser como Jesús y dar testimonio de lo que he visto?

Sí, puedo vivir en Dios y hablar a la humanidad. Puedo sentirme en casa en medio de las cosas eternas y ver un significado en las cosas pasajeras. Puedo vivir en la casa de Dios y al mismo tiempo sentirme como en casa en las casas de las personas. Nutrido por el pan de vida, puedo trabajar por la justicia de aquellos que se mueren de hambre. Puedo experimentar la paz que no es de este mundo y al mismo tiempo comprometerme en problemas humanos para establecer justicia y paz en la tierra. Puedo creer que de alguna manera he llegado y participado desde allí en mi propia búsqueda de Dios y en la de los demás. Puedo hacer que la experiencia de pertenecer a Dios sea el lugar desde el cual puedo vivir el dolor humano de los sin techo y los exiliados.

Sin embargo existe el peligro de buscar falsas seguridades, de experimentar una claridad imaginada, sí, hasta la tentación de caer en el absolutismo y el dogmatismo; la vieja tentación de querer controlarlo todo. Hablar desde la eternidad hacia lo temporal puede ser fácilmente percibido como algo opresivo; hasta pueden ser dadas las respuestas antes de que sean realizadas las preguntas. Pero todo el ministerio de Jesús fue un ministerio "desde lo alto", un ministerio nacido a partir de la relación con el Padre en el cielo. Todas las preguntas que formula Jesús, todas las respuestas que da, todos los cuestionamientos que hace y los consuelos que ofrece tenían sus raíces en su conocimiento del amor incondicional del Padre.

Su ministerio no fue opresivo por el simple hecho de provenir de su profunda experiencia de ser incondicionalmente amado y nunca estuvo motivado por una necesidad personal de autoafirmación y aceptación. Fue completamente libre porque no pertenecía al mundo sino exclusivamente al Padre. El ministerio de Jesús es el modelo de todo ministerio. Por lo tanto, hablando "desde lo alto" nunca fue autoritario, manipulador, u opresor. Tuvo que estar anclado en un amor que no sólo es libre de las compulsiones y obsesiones que caracterizan a las relaciones interpersonales, sino también libre para estar presente en medio de los sufrimientos de los hombres con un espíritu de compasión y perdón.

Para mí el problema es, sin lugar a dudas, si mi encuentro con la muerte me ha liberado suficientemente de las adicciones del mundo hasta el punto de ser auténtico con mi vocación como la veo ahora, es decir, "enviada" desde lo alto. Esto implica claramente un llamado a la oración, a la contemplación, al silencio, a la soledad, a un desprendimiento interior. Debo elegir permanentemente mi "no pertenecer" para poder pertenecer; debo elegir constantemente mi no ser de aquí abajo para poder ser de lo alto.

El gusto por el amor incondicional de Dios desaparece rápidamente cuando los poderes de la vida cotidiana hacen sentir su presencia nuevamente. La claridad del significado de la vida recibido en la cama del hospital desaparece fácilmente cuando las obligaciones de cada día regresan y empiezan a dominar la vida otra vez. Se necesita una gran disciplina para seguir siendo discípulos de Jesús, para seguir aferrados a su amor, y vivir principalmente desde lo alto.

Pero la verdad de la experiencia del hospital no puede ser negada, aun cuando parezca sólo el reflejo del sol que brilla detrás de un cielo cubierto de nubes. Las numerosas nubes de la vida ya no pueden más engañarme sobre el hecho de que es el sol el que ofrece calor y luz.

Jesús dice: "Yo soy el Camino, la Verdad y la Vida". Esas palabras ya no son más para mí un texto para pensar o meditar. Ellas tocaron el centro de mi existencia y se convirtieron en una realidad tangible. Desde la perspectiva de esa realidad, la gente, las cosas y los eventos son reales porque están conectados al amor y la vida de Dios, así como me fueron reveladas en Jesús. Sin esta conección divina, la gente, las cosas y los eventos rápidamente pierden su cualidad eterna y se convierten en algo parecido a sueños descoloridos y fantasías fugaces. Tan rápido como pierdo familiaridad con Dios que es Verdad, Vida y Luz, de nuevo me veo enredado en la maraña de las "realidades" cotidianas que se me presentan como si fueran lo más importante. Sin el deseo explícito y concreto de hacer que Dios permanezca en el centro de mi corazón, no pasará mucho tiempo antes de que la experiencia del hospital se convierta en algo más que un devoto recuerdo.

El modo en el que mis amigos reaccionaron ante mi rehabilitación me llevó a reflexionar sobre el modo en el que nuestra sociedad percibe la muerte y la vida. Unánimemente, ellos me felicitaban por mi recuperación y expresaban su gratitud por verme restablecido. A pesar de estar profundamente agradecido por su atención y afecto, el encuentro con Dios en mis horas cercanas a la muerte me llevaron a preguntarme si estar "bien otra vez" era de verdad lo mejor para mí. ¿No habría sido preferible haber sido completamente liberado de este mundo ambiguo y llevado a la casa verdadera, a la comunión plena con Dios? ¿No habría sido mejor haber llegado que permanecer en el camino?

Ninguno de los que me escribieron cartas, o me llamaron por teléfono, o me mandaron flores o me visitaron parecían pensar de esta manera, lo cual no me sorprendió. Seguramente a un amigo enfermo le habría respondido de la misma manera. No me sorprendió que nadie ni siquiera sugiriera que mi regreso a la vieja vida no era necesariamente la mejor conclusión del accidente. Nadie escribió: "El no haber sido considerado preparado para estar completamente unido al Señor al que le has dado la vida debe haber sido una desilusión, pero siendo tu compañero de viaje te doy la bienvenida en tu regreso a la lucha de la vida."

Los innumerables textos litúrgicos que hablan sobre nuestro entusiasmo por vivir con Dios en alegría y paz eternas obviamente no expresan nuestros verdaderos deseos. Para mis amigos, convivir en esta tierra con el sufrimiento y la infelicidad parece ser preferible al cumplimiento de las promesas de Dios más allá de los límites de nuestra muerte. No digo esto con ningún dejo de cinismo. Yo sé que no soy diferente de ellos. Pero habiendo recibido un reflejo de luz más allá del espejo de la vida, me pregunto si nuestro entusiasmo por permanecer en esta vida no está sugiriendo que hemos perdido contacto con uno de los aspectos más esenciales de nuestro credo: *la fe en la vida eterna.*

Todo esto me ayuda a encontrar el verdadero significado del haber sido enviado nuevamente a esta vida. Me pregunto cada vez más si estos años extra de vida no me hayan sido dados para poder vivirlos desde la otra orilla. Teología significa ver el mundo desde la perspectiva de Dios. Tal vez se me dio otra oportunidad para vivir más teológicamente y ayudar a otros a hacer lo mismo sin necesidad de que sean golpeados por el espejo retrovisor de un auto que pasa velozmente por la ruta.

A medida que voy recuperando la salud, descubro y hago mío el dilema de Pablo: si honrar a Cristo con la vida o con la muerte. La tensión creada por este dilema es una tensión que ahora se encuentra en las bases de mi vida. Pablo escribe:

> "Porque para mí la vida es Cristo, y la muerte una ganancia. Pero si la vida en este cuerpo me permite seguir trabajando fructuosamente, ya no sé qué elegir. Me siento urgido de ambas partes: deseo irme para estar con Cristo, porque es mucho mejor, pero por el bien de ustedes es preferible que permanezca en este cuerpo. Tengo la plena convicción de que me quedaré y permaneceré junto a todos

> ustedes, para que progresen y se alegren en la fe. De este modo, mi regreso y mi presencia entre ustedes les proporcionarán un nuevo motivo de orgullo en Cristo Jesús" (Fil 1,21-26).

A medida que voy reintegrándome a la vida normal, rezo para que estas palabras de Pablo poco a poco puedan convertirse en mi guía. Habiéndome dado cuenta de que mi muerte habría podido ser un regalo para los demás, ahora también sé que la vida que aun me queda por vivir es más que nunca un regalo porque tanto la muerte como la vida encuentran su verdadero significado en la gloria de Jesucristo. Por lo tanto, no hay nada que temer. Cristo resucitado es el Señor de los vivos, tanto como de los muertos. A él le pertenecen la gloria, el honor y la alabanza. Tal vez fue necesario que un espejo retrovisor me golpeara para recordármelo.

Epílogo

Han pasado pocos meses desde que he escrito mi experiencia en el portal de la muerte. Mirando hacia atrás, ahora que estoy de nuevo completamente inmerso en las complicaciones de la vida diaria, me pregunto: ¿Puedo ser fiel a lo que he aprendido?

Recientemente, alguien me dijo: "Cuando usted estaba enfermo estaba muy unido a Dios y la gente que lo visitaba recibía de usted una gran paz; pero desde que está bien y debe dedicarse a todas sus tareas otra vez, una buena porción de su inquietud y su ansiedad han reaparecido." Debo prestar mucha atención a estas palabras.

¿Ese reflejo de luz más allá del espejo, que experimenté como algo real y poderoso, es incapaz de hacer que permanezca unido a Dios cuando las demandas de nuestra agitada sociedad reaparecen? ¿Puedo mantener viva la verdad de mi experiencia en el hospital? A primera vista, parece imposible. ¿Cómo podré seguir creyendo en el poder unificador y restaurador del amor de Dios cuando todo lo que experimento es fragmentación y separación?

El mundo en el que vivo hoy parece ya no ser más un suelo fértil en el que la semilla de la gracia pueda crecer fuerte y dar fruto. Al ver las excavadoras devastando la hermosa campiña a mi alrededor, en preparación a la construcción de todas esas casas que serán puestas una junto a la otra como autos en un estacionamiento, sé que la soledad, el silencio y la oración que permitía este lugar se han escapado junto a los ciervos...

La competitividad, la ambición, la rivalidad, y un intenso deseo de poder y prestigio parecen colmar el aire. Mi cama en la sala de terapia intensiva y la del quinto piso del hospital parecían lugares seguros y santos comparados con el caos del "desarrollo" urbano. Pero también está mi comunidad de discapacitados y sus asistentes. ¿Qué puedo decir de ellos? De alguna manera sé que ellos pueden hacer posible lo imposible. Porque en la niebla de este mundo hambriento de poder, nuestra comunidad sigue siendo tan débil y vulnerable que Dios sigue recordándonos el amor que me fue manifestado en el portal de la muerte.

Una de mis más grandes experiencias de vida en mis últimas semanas en el hospital fue la visita de mi padre, mi hermana, mis amigos, y los miembros de mi comunidad. Tenían tiempo para dar. No tenían nada más importante que hacer. Podían sentarse junto a mi cama y simplemente estar allí.

Especialmente los más discapacitados estuvieron muy cerca mío. Adam, Tracy, y Hsi-Fu vinieron en sus sillas de ruedas. No dijeron nada, pero estaban allí, sólo recordándome que soy amado tanto cuanto ellos. Parecían querer decirme que mi experiencia en el portal de la muerte era real y que podía contar con ella, y con su silenciosa presencia me decían que debía ser capaz de ser fiel a ella. Cuando Hsi-Fu me visitó, saltaba en su silla de ruedas, y cuando lo abracé, me cubrió la cara de besos. Yo quería ir a verlo a él, y al final fue él quien vino a verme a mí, como diciéndome: "No te preocupes; siempre me bañan; pero quédate a mi lado para no perder lo que has aprendido en tu cama."

He perdido mucho de la paz y la libertad recibidas en el hospital. Lo lamento; lo lamentaré siempre. Una vez más hay mucha gente, muchos proyectos, muchos esfuerzos. Nunca hay ni tiempo ni espacio suficiente para llevar adelante todo y sentirse totalmente satisfechos. Nunca más he podido vivir tan unido a Dios como durante mi enfermedad. Me gustaría volver a experimentarlo. Lo anhelo. Este es un deseo que comparto con muchas otras personas ocupadas.

Hsi-Fu y todos los que en nuestro mundo son débiles o están quebrados son puestos en mi camino para llamarme a regresar una y otra vez, a esa verdad a la que he podido acceder. Y pueden hacer esto porque no tienen nada que comprobar, nada que terminar. Tampoco tienen éxitos que alcanzar, ni carrera que sostener adelante, ni nombre que defender. Ellos siempre están "en terapia intensiva", siempre dependientes, siempre en el portal de la muerte. Ellos pueden llevarme muy cerca de esa parte de mí donde soy como ellos: débil, quebrado, y totalmente dependiente. Es el lugar de la verdadera pobreza donde Dios me llama bendito y me dice: "No tengas miedo. Tú eres mi hijo amado, en el cual he puesto mi confianza."

En este momento vuelven a mi mente las palabras de Jesús: "Les aseguro que si ustedes no se hacen como niños, no entrarán en el Reino de los Cielos" (Mt 18,2-3). Me doy cuenta de que el accidente me hizo ser, al menos un poco, como un niño pequeño, y me permitió gustar brevemente del Reino.

Ahora todas las tentaciones de dejar esa infancia están de nuevo aquí y no me sorprende que algunos de mis amigos sientan que tenía más para dar cuando estaba enfermo que después de mi recuperación. Sin embargo, no puedo sentarme y esperar otro accidente para dirigir mi vida hacia el

Reino otra vez. Simplemente debo abrir mis ojos al mundo en el que he sido colocado y ver en él a las personas que pueden ayudarme una y otra vez a ser como un niño. Estoy seguro de que mi accidente no fue nada más que un simple instrumento para recordarme quién soy y aquello a lo que he sido llamado.

Sobre el autor

Henri J. M. Nouwen fue director espiritual y escritor de más de treinta libros. Después de ordenarse sacerdote en 1957 en la arquidiócesis de Utrecht, Holanda, se graduó en psicología en la Universidad Católica de Nijmegen y fue miembro del Programa para Religión y Psiquiatría en la Clínica Menninger de Topeka, Kansas. En 1971 se graduó en teología en la Universidad Católica de Nijmegen. Dictó cursos de psicología, espiritualidad y teología pastoral en la Universidad de Notre Da-me, el Instituto Pastoral de Amsterdam, la Yale Divinity School y la Harvard Divinity School. También vivió variadas experiencias: con los Trapenses de la Abadía de Genesse, los pobres en Latinoamérica y los discapacitados mentales en Francia y Canadá. Desde 1986 fue guía espiritual de la comunidad para discapacitados de "El Arca" en Toronto, Canadá. Falleció el 21 de setiembre de 1996.

Índice

Este libro se terminó de imprimir en el mes de septiembre de 2003,
en los Talleres Gráficos Color Efe, Paso 192, Avellaneda,
Buenos Aires, Argentina.